Incroyables chevaux

EDITIONS PLAY BAC / GEO

Les ancêtres de ces juments ont participé à la conquête de l'Amérique latine.
Ces juments andalouses qui regardent au-dessus d'un mur sont caractéristiques de cette race prestigieuse. Leur tête fine au profil légèrement convexe et leurs grands yeux leur confèrent une belle élégance. De nombreux chevaux de pure race espagnole ont une robe gris pommelé ou truitée. Leurs crins sont fournis, longs et particulièrement soyeux. Courageux et résistants, ces chevaux fougueux ont accompagné les conquistadors et beaucoup impressionné les Indiens d'Amérique du Sud.

Fiers, majestueux, fougueux, ils ne cessent de nous émerveiller. Depuis la nuit des temps, ils ont facilité les voyages des hommes et décuplé leur force tout en sachant garder leur indépendance et leur liberté.
Avec eux, l'homme partage son travail et ses loisirs, ses passions et ses exploits. Tout comme il partageait autrefois les fatigues des batailles et la gloire des victoires.
Les chevaux sont bien la plus noble conquête de l'homme et ce beau livre leur rend hommage en les présentant dans toute leur diversité.

Réalisée par des photographes spécialisés, cette extraordinaire galerie de portraits nous emmène au cœur du monde singulier des chevaux, du mustang sauvage au robuste percheron, du frison majestueux au camarguais infatigable.

Au cours de ce très beau voyage au pays des équidés, chaque photographie grand angle nous fait découvrir sur le vif la palette de leurs différentes attitudes : la fragilité d'un nouveau-né pottok, la concentration qu'exige le travail au dressage, les attaques des étalons ambitieux, la parade amoureuse des pur-sang, l'agilité des chevaux de cirque, la force colossale des boulonnais…

Loin des box et des écuries, les photographes ont emporté leurs objectifs, saison après saison, dans les déserts, les montagnes, les prairies sauvages, les villages, les fêtes populaires et les manifestations équestres.

Bienvenue dans ce fascinant voyage, à la rencontre des plus beaux chevaux du monde !

Les chevaux camarguais ne connaissent pas l'écurie !

Les chevaux de Camargue ne vivent pas dans des prairies riches, mais dans les terres marécageuses du grand delta du Rhône. Sur ces territoires de marais imprégnés de sel, ils doivent se déplacer sans grand repos pour apaiser leur faim, car l'herbe grasse y est très rare. Rustiques et résistants, ils sont utilisés par les gardians pour encadrer les troupeaux de taureaux et réaliser quelques travaux agricoles. Très vifs, ces petits chevaux blancs ont la particularité d'avoir un galop très ample, mais de ne trotter que rarement ; le trot est en effet très peu demandé par leurs cavaliers car il est inconfortable.

Le percheron est une force de la nature.

Ce percheron à la robe gris pommelé fait partie d'une famille de chevaux de trait particulièrement puissants. Originaire du Perche, une région située à l'ouest du Bassin parisien, ce cheval compact et musclé a été amélioré au cours des siècles par des croisements avec des étalons arabes. Véritable colosse, il mesure 1,68 m en moyenne au garrot et son poids peut atteindre une tonne, soit le poids d'une petite voiture. Sa docilité, sa force et sa résistance aux efforts conséquents en font un excellent cheval notamment pour le transport du bois.

Les frisons filent crinière au vent.

Particulièrement longue et abondante, la crinière des frisons doit parfois être tressée pour ne pas gêner le cavalier. Dans l'Antiquité, ces chevaux dociles et courageux ont été largement utilisés par les peuples du nord de l'Europe pour combattre les légions romaines. Plus tard, ils ont été affectés aux entreprises de pompes funèbres car leur robe couleur de jais s'harmonisait parfaitement avec celle des corbillards. Aujourd'hui, les frisons sont des chevaux d'attelage réputés pour leur port altier et appréciés dans les cirques pour leur bon caractère et leur élégance.

Les jeunes mustangs

s'entraînent au combat avant de défier un chef de clan !

Formés d'une douzaine d'individus, juments et poulains, les groupes de mustangs sauvages sont toujours guidés par un seul étalon. Mais, au printemps, de jeunes ambitieux rêvent de lui ravir sa place. Ils s'entraînent alors dans des simulacres de duels pour déterminer le plus apte à l'affronter. La vivacité et l'agilité des mustangs ont été remarquées par les Indiens puis par les cow-boys : les premiers les dressaient pour la chasse et les seconds pour guider les troupeaux de vaches. Ils sont aujourd'hui les montures privilégiées des amateurs de rodéos.

Certaines selles

sont de véritables œuvres d'art !

Probablement inventée par les peuples mongols, la selle a beaucoup évolué au fil du temps et selon les pays. Adoptée par les Bédouins, la selle arabe utilisée aujourd'hui au cours des fantasias est caractérisée par ses nombreuses broderies d'or, son pommeau haut et étroit et ses étriers à montants triangulaires et à semelle large. Mais, si en matière de décoration toutes les fantaisies sont permises, les selles du monde entier doivent absolument respecter quelques principes de base : être de bonne taille pour le cheval comme pour le cavalier, ne pas appuyer sur le garrot ni le pincer et ne pas exercer de pression sur l'épine dorsale du cheval.

Les pur-sang arabes constituent parfois la seule richesse des nomades du désert.

Depuis des millénaires, dans les immensités désertiques de la péninsule arabique, les tribus bédouines élèvent des pur-sang résistants, rapides et gracieux. Seigneurs du désert, ces chevaux peuvent avoir des robes de couleur grise, alezane, baie ou noire. Mesurant de 1,45 m à 1,55 m au garrot, ils sont dotés de membres fins et d'un corps harmonieux bien équilibré. Leurs naseaux, très larges, leur permettent de bien respirer en galopant. Ils sont, pour cette raison, surnommés « les buveurs de vent ».

Les chevaux
arrivent même à vivre dans le désert !

Les chevaux sauvages vivent en majorité dans les steppes d'Amérique, d'Afrique, d'Asie et d'Australie. Dans ces contrées arides, leur quête quotidienne de nourriture est une lutte incessante. Sous un soleil de plomb, ils sont obligés de parcourir les dunes à la recherche des quelques rares touffes d'herbe sèche qui assureront leur survie. Mais ils doivent aussi rester très vigilants quand ils s'approchent des points d'eau où les guettent parfois des prédateurs affamés tels les fauves en Afrique ou les loups en Asie.

Un profil de prince d'Arabie.

Les riches ornements de ce pur-sang arabe à la robe alezane cuivrée sont à la hauteur de son extraordinaire beauté. Son port de tête de seigneur du désert est ainsi accentué par le harnachement que lui a mis son cavalier. La ligne de tête peut parfois être allégée ou affinée en coupant les poils des joues et les crins de la nuque, qui dégagent la tête. Il faut pour cela utiliser des ciseaux spéciaux à bouts ronds. Il ne faut cependant jamais couper les poils qui poussent autour des yeux car ils protègent le cheval du sable et des insectes, ni surtout ceux du menton, qu'on appelle les vibrisses.

Ce pur-sang arabe change de direction parce qu'il se sent en danger.

Cet étalon égyptien du haras Al-Zahraa, la Mecque du pur-sang arabe située à quelques kilomètres du Caire, effectue un virage dans le sable car il ne souhaite pas affronter le danger qu'il a perçu en face de lui. La souplesse et la musculature exceptionnelles de ces princes du désert leur permettent de virer en quelques secondes, même à très grande vitesse et sur un terrain difficile. Leurs qualités ont si fortement séduit Bonaparte lors de sa campagne d'Égypte, à la fin du XVIIIe siècle, qu'il ramena en France plusieurs centaines de chevaux, dont beaucoup d'étalons, et développa la race dans les haras impériaux.

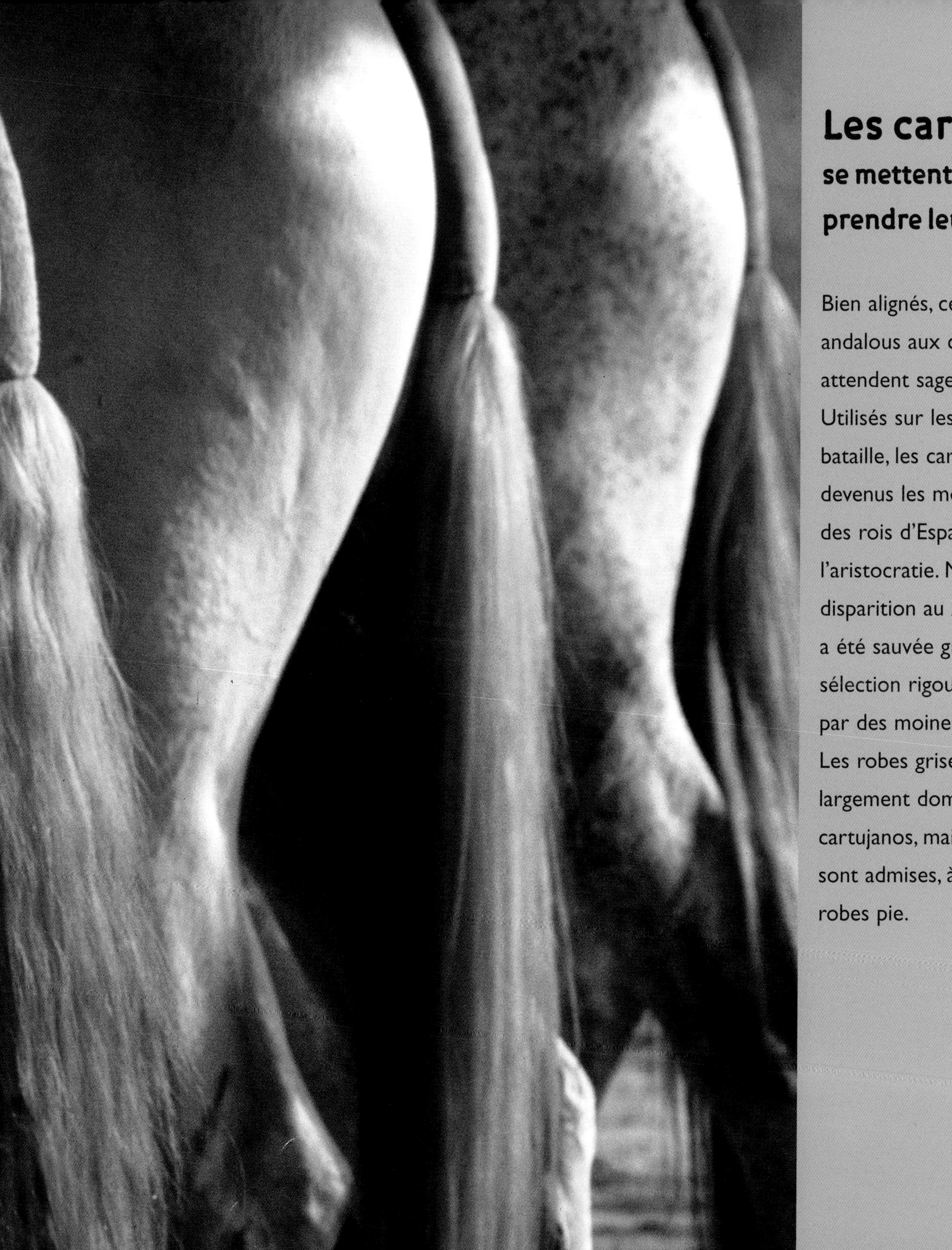

Les cartujanos

se mettent en rang pour prendre leur repas.

Bien alignés, ces chevaux andalous aux croupes arrondies attendent sagement leur repas. Utilisés sur les champs de bataille, les cartujanos sont devenus les montures préférées des rois d'Espagne et de l'aristocratie. Menacée de disparition au XIXe siècle, la race a été sauvée grâce à une sélection rigoureuse, effectuée par des moines chartreux. Les robes grises et baies sont largement dominantes chez les cartujanos, mais d'autres couleurs sont admises, à l'exception des robes pie.

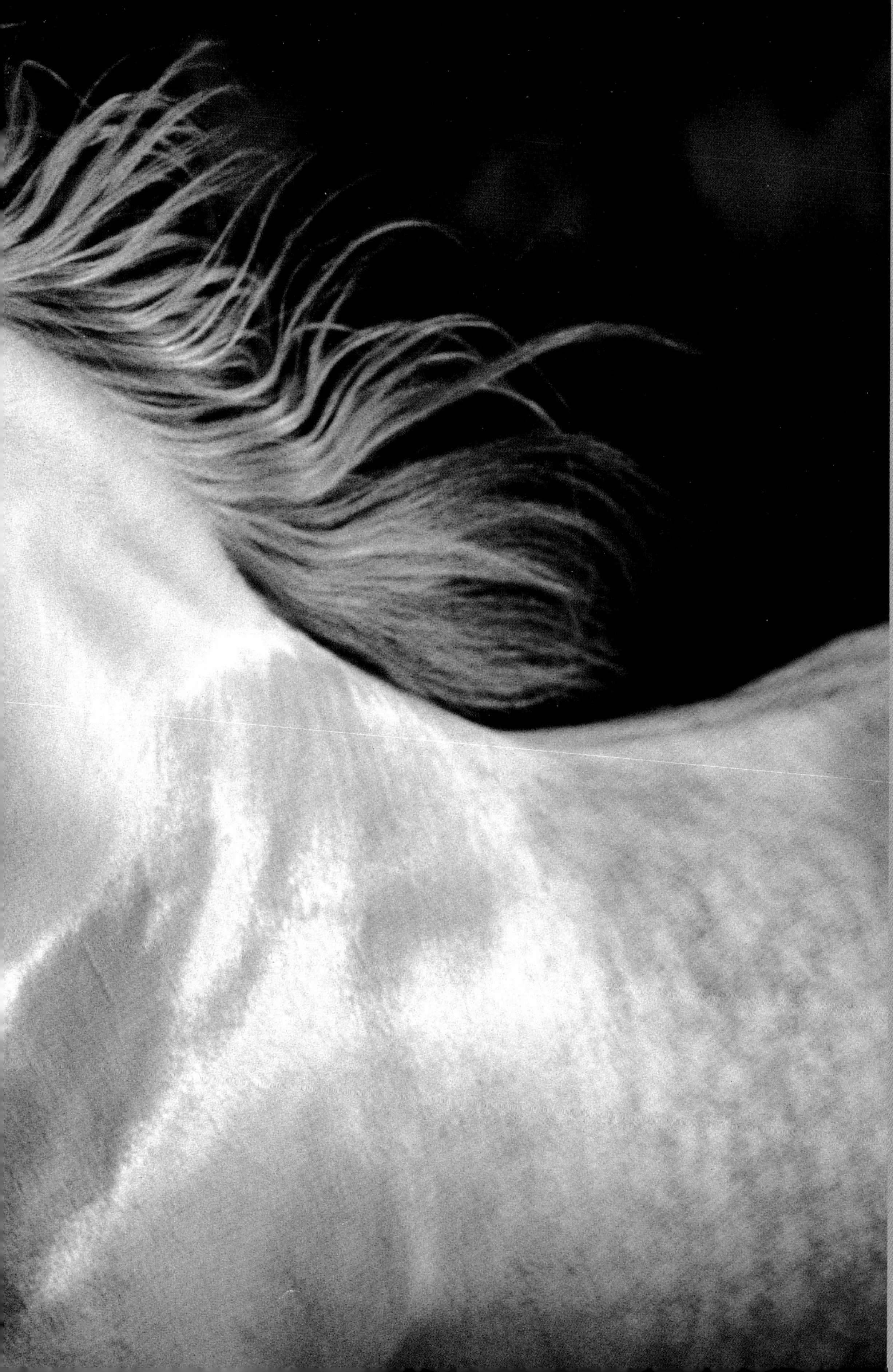

Ce pur-sang arabe ressemble à une statue de marbre.

Résistant et fougueux, le pur-sang arabe était autrefois le cheval de guerre des conquérants musulmans. Sélectionné et élevé à l'origine par les tribus du désert, on le rencontre aujourd'hui en grand nombre en Amérique du Nord. Mais il est aussi élevé en Orient, en Europe, en Amérique du Sud, en Océanie et en Afrique du Sud.
Une légende raconte que ce cheval racé et élégant aurait été créé par Allah avec une poignée de vent du sud. Et selon la tradition musulmane, il serait le descendant des cinq juments préférées du prophète Mahomet.

Les ancêtres de ces chevaux sont arrivés en Islande en drakkar !

Dans leur île natale, les islandais sont considérés comme des chevaux alors que leurs caractéristiques se rapprochent de celles des poneys : ils mesurent entre 1,23 m et 1,32 m seulement au garrot !
Ces chevaux, à la robe souvent baie, ont été introduits sur l'île nordique par les Vikings entre 860 et 935 et n'ont pratiquement pas connu de croisement depuis cette période. Robustes, les islandais vivent en troupeaux semi-sauvages et résistent aux températures particulièrement rigoureuses des hivers.
Très typiques, ils servent de monture dans de nombreux sports traditionnels.

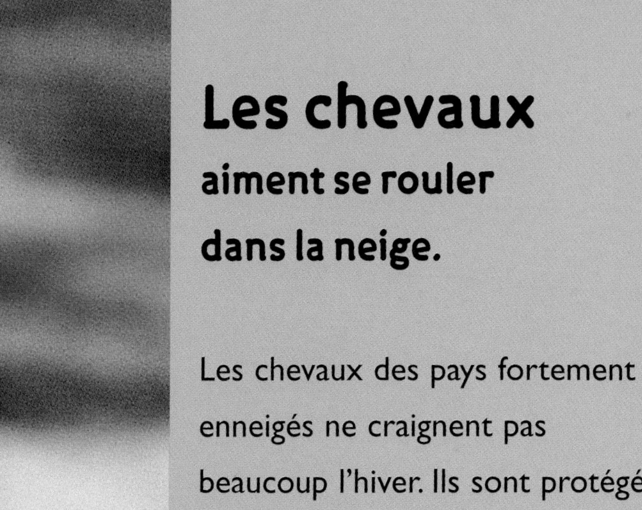

Les chevaux
aiment se rouler dans la neige.

Les chevaux des pays fortement enneigés ne craignent pas beaucoup l'hiver. Ils sont protégés par un manteau de fourrure parfaitement isolant et ils adorent se rouler dans la neige immaculée. Ils peuvent ainsi se débarrasser assez facilement des impuretés et se gratter lorsqu'ils ont des démangeaisons. Ils arrivent même à dormir sur ce matelas naturel lorsque nécessité fait loi ! Pour eux, le souci majeur lors de la saison froide est de trouver leur nourriture et de l'eau. S'ils ne peuvent faire autrement, les chevaux laissent fondre la neige dans leur bouche avant de l'avaler.

Le cheval hennit quand il est ému !

Différents signes reflètent les émotions du cheval et en particulier le hennissement. Selon les situations de sa vie quotidienne, un cheval peut ainsi hennir soit pour appeler un de ses congénères, ou la jument son poulain, soit pour impressionner et se faire respecter dans le groupe. Il possède une gamme d'une dizaine de types de hennissements qu'il utilise selon les circonstances. Les plus bruyants d'entre eux sont perceptibles en plaine à plusieurs kilomètres de distance.

Chaque cheval mérite mille attentions !

En matière de soins, si les crins et
Le choix du mors est ainsi très im
les incisives et les prémolaires, sur
en caoutchouc ou en résine mais
fin, plus le mors est sévère pour la

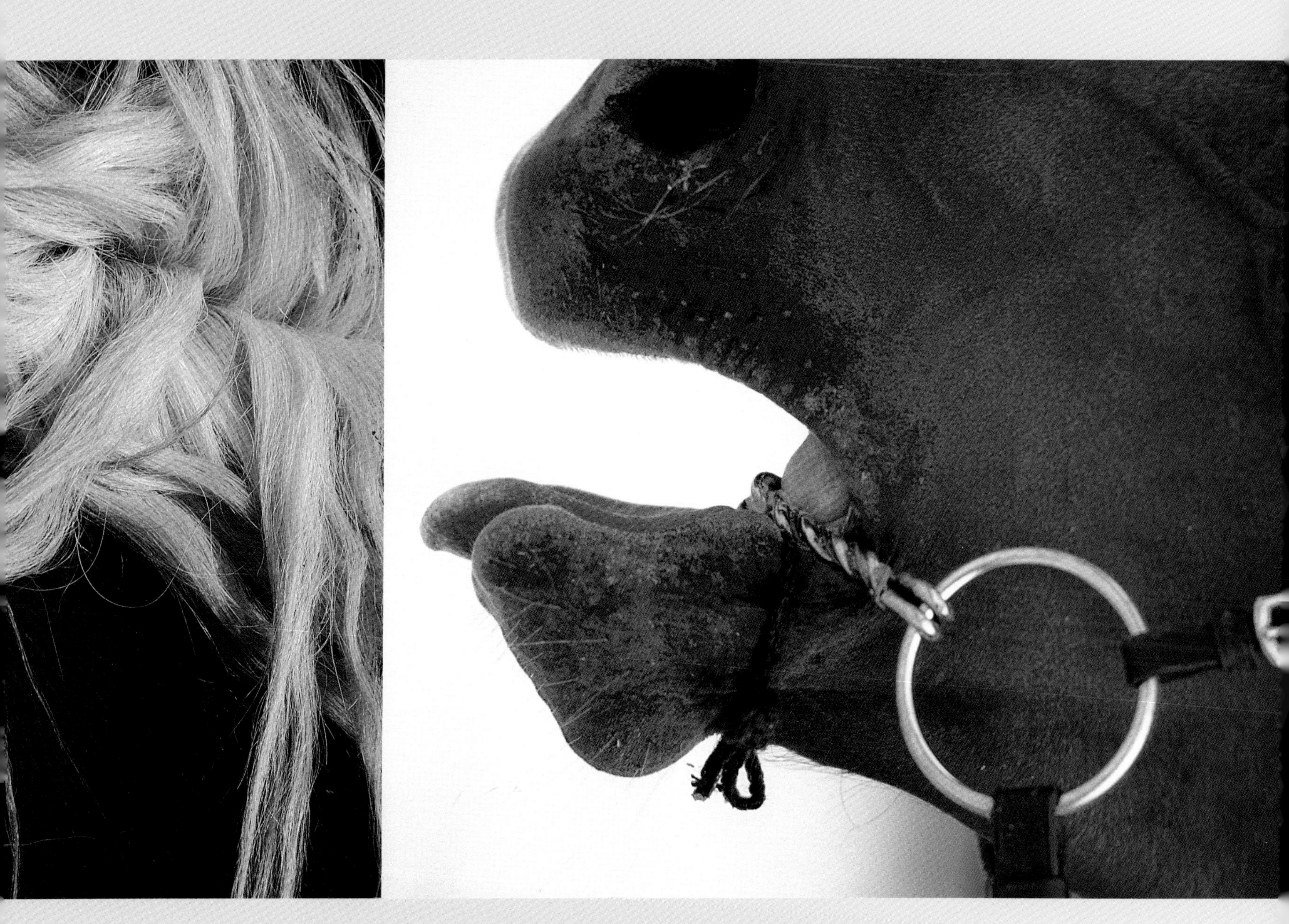

u cheval doivent toujours être surveillés avec attention par les éleveurs, la bouche nécessite encore plus de vigilance.
r la sensibilité de la bouche et l'épaisseur de la langue sont très différentes d'un cheval à l'autre. Le mors est placé entre
à où il n'y a pas de dents. Il repose donc sur les gencives et la langue du cheval. Pour les plus sensibles, on utilise des mors
iorent rapidement. C'est pourquoi les cavaliers utilisent souvent des mors en métal. Il faut cependant savoir que plus il est
u cheval.

Les chevaux fougueux

se cabrent pour un oui ou pour un non !

La musculature fine mais très puissante de ce cheval arabe est mise en évidence lorsqu'il se cabre. Cette attitude fréquente chez tous les étalons montre leur volonté d'intimider leur adversaire ou de prouver leur extraordinaire vitalité. Les chevaux de races légères, comme le pur-sang arabe, ont l'avantage d'avoir beaucoup d'énergie et une morphologie appropriée pour ce genre d'exhibition.
La prudence est toujours recommandée avec de jeunes chevaux et en particulier avec les étalons avides d'exprimer leur hardiesse.

Cet étalon semble sentir avec sa bouche !

Cette attitude, appelée le flehmen, est caractéristique de l'étalon lorsqu'il perçoit une odeur nouvelle ou inhabituelle. L'animal, qui semble alors sourire, retrousse la lèvre supérieure et tend son encolure pour mieux inspirer. Il cherche à mémoriser ou à analyser une odeur qui l'intrigue comme celle d'une jument en chaleur ou le crottin d'un étalon rival. L'odorat est un sens très développé chez le cheval. Quand il change de lieu de vie, en liberté ou même dans un nouveau pré, il passe de longues heures à identifier les odeurs qui lui sont étrangères.

Le frison est le cheval préféré
des rois de Hollande.

Célèbre pour sa longue crinière frisée et sa robe aux reflets noirs, le frison appartient à l'une des races les plus anciennes d'Europe. Sa couleur peut varier du brun foncé au noir comme l'ébène. Mais si le mâle doit toujours avoir une robe sombre unie, la femelle peut se permettre une petite tache blanche en forme d'étoile sur la tête.
Sa beauté singulière et sa capacité à maintenir une allure régulière et élégante en ont fait le cheval attitré des carrosses de la cour des Pays-Bas.

Les chevaux amoureux se reniflent longuement.

Ce couple de pur-sang arabes à la robe gris foncé entame peut-être une relation amoureuse en se reniflant respectivement les naseaux. Leurs oreilles dressées montrent les intentions pacifiques de ce contact facial. La parade amoureuse des chevaux se poursuit généralement par des petits mordillements répétés sur la nuque et l'encolure.
Il arrive aussi que l'un des deux pose sa tête sur la nuque de l'autre. Selon certains observateurs, un étalon a une préférence très marquée pour les juments de la même couleur.

Un nouveau-né

encore tout enveloppé !

Cette jument pottok vient de donner naissance à son poulain dans les montagnes du Pays basque où ces petits chevaux vivent à l'état semi-sauvage. Cet événement a lieu en quelques minutes, en général la nuit ou au petit matin.
Au moment de la naissance, les enveloppes fœtales se déchirent pour permettre au poulain de sortir du ventre de sa mère.
Il est alors tout mouillé et l'un des premiers réflexes de cette dernière est de lécher longuement son petit pour s'imprégner de son odeur et le réchauffer.

Les robes du poulain et de la jument ne sont pas toujours de la même couleur !

La robe du poulain n'est pas forcément de la même couleur que celle de ses parents.
Ainsi, les chevaux ne deviennent gris qu'avec l'âge. Ils naissent avec une robe de couleur noire, baie ou alezane, selon les ascendants des parents. Durant les premiers mois de sa vie, le poulain reste sous la protection de sa mère : elle lui apprend à courir mais aussi à goûter progressivement à l'herbe. La jument exerce une vigilance constante et empêche quiconque, même l'étalon, de s'approcher de son petit.
À travers les jeux, le poulain acquiert les comportements qui lui seront indispensables dans sa vie de cheval.

Le poney des Rocheuses est amateur de ruades énergiques !

Descendant des chevaux andalous introduits en Amérique par les conquérants espagnols, le poney des Rocheuses est un animal réputé pour son caractère joyeux, docile et affectueux. Vigoureux et très courageux, il est la monture idéale pour les randonnées dans les chemins escarpés et les sentiers pentus des collines. Sa robe est souvent couleur chocolat mais il existe d'autres couleurs. Elle doit être unie : aucune tache blanche n'est admise au-dessus du genou ou du jarret, sauf sur la tête. Sa crinière et sa queue sont plus claires que la robe dans la majorité des cas, mais il existe de belles variantes comme celui-ci.

Les chevaux se lavent souvent à deux !

Ce cheval camarguais est en train d'achever la toilette de l'un de ses congénères. Ces soins, administrés le long de la nuque et du dos jusqu'à la queue, sont généralement prodigués mutuellement. Les deux chevaux se placent tête-bêche, côte à côte, hument leurs odeurs respectives et commencent à se mordiller. L'ensemble de la toilette ne dure que quelques minutes mais elle permet de nettoyer des zones du corps que le cheval ne peut atteindre tout seul. Cette toilette commune renforce également les liens entre les membres du groupe.

Les chevaux andalous sont les princes de l'arène.

Courageux face aux taureaux lors des grandes corridas, les chevaux andalous sont aussi des artistes dans l'arène. Seuls en piste ou en groupe, capables au son de la musique de changements de rythme époustouflants, ils ravissent les amateurs massés dans les travées de l'arène. Les étalons s'entraînent de longues heures pour mémoriser l'ensemble des pas de haute école et la chorégraphie complexe de ces spectacles. Ils réalisent aussi des figures spectaculaires en se laissant conduire par leur cavalier à pied.

Cette jeune pouliche mustang à peine âgée de dix jours, sait déjà se cabrer !

Difficiles à canaliser, les jeunes mustangs aiment s'ébrouer dès leurs premiers jours de vie. Mais ils n'échappent que très rarement à la surveillance et à la protection de leur mère, qui ne les quitte pas des yeux. Cette peur d'un danger potentiel est très compréhensible : les mustangs ont longtemps été chassés pour nourrir les hommes et les animaux domestiques. Au XVIIIe siècle, cinq millions de mustangs vivaient aux États-Unis en liberté totale. Ils sont aujourd'hui protégés car les troupeaux ne comptent plus que quelques dizaines de milliers de bêtes.

Des champs de labour à la piste de danse !

Dans un village de l'Allier, un passionné élève depuis quelques années une vingtaine de chevaux de trait sans les destiner aux travaux agricoles. Ces animaux lourds – près d'une tonne – et puissants, habitués depuis des siècles aux harassantes journées de labourage ou de débardage du bois, ont été, au fil des ans, dressés par leur éleveur avec beaucoup de patience. Ils offrent aujourd'hui un spectacle équestre aux numéros étonnants.
Les chevaux de labour les plus représentés dans cette cavalerie rustique sont les comtois et les percherons.

Le haflinger est surnommé « le poney edelweiss ».

Originaire des alpages du Tyrol autrichien, le haflinger est un grand poney qui atteint 1,40 m environ au garrot. Puissant et courageux, il est d'une longévité exceptionnelle car il peut vivre jusqu'à l'âge de quarante ans. Animal calme et doux, il est un excellent compagnon pour l'homme. Ce poney, à la robe d'or et aux crins d'argent, était autrefois très utilisé pour porter le bois que coupaient les bûcherons tyroliens mais il excelle aussi dans la randonnée sur les terrains pentus. En Autriche, tous les haflingers sont marqués au fer d'un edelweiss, la fleur nationale du pays, avec au centre la lettre « H » de leur nom.

Les poneys d'Assateague

sont d'excellents nageurs.

Chaque année, des poneys de l'île d'Assateague sont sélectionnés par leurs propriétaires et rejoignent à la nage l'île voisine de Chincoteague pour y être vendus aux enchères. Rebelles et têtus, ces petits poneys – ils mesurent environ 1,22 m au garrot – vivent en semi-liberté sur cette île de la côte est des États-Unis. Selon une légende locale, un bateau espagnol transportant ces chevaux aurait fait naufrage, au XVIIe siècle, non loin des côtes et quelques-uns auraient survécu en rejoignant l'île à la nage. Résistants, ils se sont adaptés à leur environnement en broutant les rares herbes des marais et en buvant l'eau douce des étangs.

Le Paint Horse

était la monture favorite des Indiens.

Cheval américain, le Paint Horse est le descendant des étalons andalous importés par les conquérants espagnols sur le nouveau continent au XVIe siècle. Sa robe présente tantôt des taches blanches sur fond de couleur, c'est l'overo, tantôt des taches de couleur sur fond blanc, c'est le tobiano. Doté d'une morphologie fine mais robuste, ce cheval était apprécié par certaines tribus indiennes pour sa robe originale. Lors des cérémonies, les Indiens ajoutaient encore des motifs peints à leurs chevaux prouvant ainsi le courage des guerriers, d'où leur nom de « Paint Horses ».

Ce mustang vient de prendre un bon bain de poussière.

À l'image de cet étalon mustang qui s'ébroue énergiquement, la plupart des chevaux aiment se rouler dans la boue ou la poussière. Ils en profitent pour se masser le dos et éliminer en quelques secondes les parasites indésirables qui les harcèlent toute la journée. Lorsqu'un groupe trouve un lieu propice aux bains de poussière, ce sont les juments qui se roulent les premières sur le sol suivies du mâle dominant. Une fois le bain terminé, les chevaux se secouent vigoureusement pour ne conserver qu'un mince voile de poussière protecteur sur leur robe.

Les chevaux se grattent contre les branches au printemps et en automne.

Quand ils perdent leurs poils, les chevaux d'Andalousie ont de sévères démangeaisons qu'ils apaisent en se frottant contre les branches ou la barrière de leur enclos. Ils doivent cependant faire attention à ne pas accrocher leur crinière ni leur queue, longues et très fournies, dans les épines et les fourrés. Réputés pour leur prestance et leur tête altière, ces chevaux vivent en grande majorité en Andalousie, sur de vastes domaines spécialisés dans leur élevage. Courageux et vifs, ils n'hésitent pas à aller défier le taureau au milieu de l'arène. Ces chevaux sont aujourd'hui appelés pure race espagnole.

Les chevaux de Prjewalski n'ont jamais été dressés !

Farouches, les chevaux de Prjewalski sont les derniers chevaux du monde à n'avoir jamais été véritablement domestiqués. Autrefois innombrables dans les plaines d'Asie centrale, ils ont été pourchassés par l'homme et ont pratiquement disparu à l'état sauvage. Les derniers individus vivant en liberté ont été observés par le colonel Prjewalski, qui découvrit quelques survivants de cette race ancestrale, en 1881, en Mongolie. Aujourd'hui, les descendants de ces étalons, caractéristiques par leur toupet sur le front et la ligne brune qui court de l'encolure à la queue, forment une population d'environ 1 500 têtes et commencent à reconquérir leur terre d'origine après avoir vécu en captivité.

Le poney dartmoor aime faire des grimaces mais il est très gentil.

Originaire d'une région aride du sud de l'Angleterre dont il porte le nom, le dartmoor possède une tête large et bien typée avec de très petites oreilles et de grands yeux. Habitué aux rigueurs climatiques, il est courageux et doté d'une volonté sans faille. Son bon caractère, sa docilité et sa forte musculature en font un poney de selle agréable aussi bien pour les enfants que pour les adolescents. Malgré sa petite taille – 1,22 m en moyenne au garrot – il est assez puissant pour être compétitif au saut d'obstacles.

Au galop, le cheval donne l'impression de voler pendant quelques instants !

Pour se déplacer, le cheval utilise trois allures naturelles : le pas, le trot et le galop. Au galop, l'allure la plus rapide, le cheval reste quelques instants en suspension avant de reposer ses sabots. Le galop de course est une allure à quatre temps qui se distingue du galop moyen à trois temps. Au cours d'un galop rapide, sur une piste avec un pur-sang de course, ou en cas de panique comme chez cet étalon à la robe gris pommelé, le cheval peut faire des pointes à plus de 60 km/h. On peut également apprendre d'autres allures au cheval comme le passage, le piaffer ou l'amble.

Tous les chevaux du monde aiment s'amuser.

À l'image de ces frisons, qui expriment leur gaieté dans un tête contre tête amical, le jeu fait partie de la vie quotidienne des chevaux. De la même façon, les plus complices aiment courir côte à côte, se cabrer face à face ou même se mordiller légèrement. Mais ces rituels amicaux cachent parfois la volonté pour chaque cheval de définir sa place ou d'obtenir une meilleure position dans la hiérarchie de son groupe que celle définie dès sa naissance. C'est par le jeu que les jeunes font leur apprentissage et découvrent les règles de la vie en communauté.

Le gypsy vanner
a longtemps été la plus grande richesse des gitans.

Appelé gypsy vanner, gypsy cob, irish tinker ou traditionnel cob selon les lieux et les époques, ce petit cheval est aujourd'hui officiellement reconnu sous la dénomination de tinker. Les gitans ont sélectionné la robe colorée, généralement blanc et noir ou brun et noir, mais elle peut aussi être unie. Utilisé par les gens du voyage pour tirer leur vieille roulotte en bois, le tinker était capable de marcher toute la journée sur les chemins et les routes les moins carrossables. Traditionnellement, les gitans ne vendaient jamais leur gypsy vanner car ils le considéraient comme leur bien le plus précieux.

Certains poulains osent défier l'autorité du chef !

Ce jeune frison est un effronté, il cherche à intimider le chef du clan ! Mais le regard furieux et l'attitude agressive de l'étalon remettront vite l'indiscipliné à sa place. Ce poulain a le tempérament d'un futur chef, pourtant il lui faudra attendre encore un peu pour quitter ses parents et former une autre famille. Comme dans toutes les races, certains jeunes sont plus fripons et audacieux que les autres, ils provoquent leurs supérieurs hiérarchiques espérant ainsi les impressionner. Heureusement les mères surveillent leur progéniture et s'arrangent pour que la paix règne dans le groupe.

Le boulonnais est le roi pour les travaux de force.

Originaire de Boulogne-sur-Mer, dans le nord de la France, le boulonnais est un cheval de trait encore utilisé de nos jours pour les travaux agricoles en raison de son exceptionnelle puissance. Avant l'apparition des véhicules à moteur, il était précieux pour le transport du poisson. Il fallait en effet des chevaux alliant force et vitesse pour assurer le plus rapidement possible les liaisons entre la côte et Paris. Capables de maintenir une bonne allure sur une grande distance, les boulonnais se relayaient toutes les trois à quatre lieues, c'est-à-dire tous les 12 à 16 kilomètres, en tirant de lourdes carrioles remplies de poissons frais conservés dans le varech, appelées « ballons ». Il y avait 22 étapes entre Boulogne et Paris !

Le pur-sang arabe semble parfois danser !

Ce beau cheval arabe à la robe immaculée adopte l'attitude très caractéristique d'un petit galop de détente. Il manifeste sans aucun doute de la gaieté, de l'excitation, et l'exprime en relevant la queue. Lorsque le cheval est au grand galop, il tend son dos, ce qui le fait alors paraître plus allongé. L'étalon arabe est réputé pour sa sensibilité à fleur de peau et son tempérament très vif. Ces qualités lui confèrent une rapidité de réaction et une énergie peu communes, très appréciées dans le monde entier par les éleveurs, les cavaliers d'endurance et dans les shows.

Ce pur-sang
est le roi du cirque Gruss.

La piste du cirque Gruss est le théâtre privilégié d'extraordinaires numéros équestres à l'ancienne. Le cheval obéit seulement à la voix et au geste, sans aucune contrainte physique. Et chaque numéro du spectacle est exécuté au rythme de la musique. Voltige, dressage de haute école ou pantomime équestre, tout est maîtrisé à la perfection. Forte d'une cinquantaine de chevaux, la cavalerie du cirque Gruss est formée de chevaux de trait, qui servent aux numéros des acrobates, et de pur-sang arabes et anglais notamment pour les numéros de dressage. Spécialisée dans le spectacle équestre depuis 150 ans, la famille Gruss a renoué avec le cirque à l'ancienne depuis une trentaine d'années.

Les chevaux sont équipés pour courir dans la neige !

En Amérique du Nord, certains troupeaux de chevaux passent plusieurs mois dans la neige et peuvent résister à des températures glaciales. Quand l'herbe est gelée ou recouverte de neige, ils grattent la croûte glacée à la recherche de quelques lichens à brouter. Parfaitement acclimatés au froid, ces chevaux sont dotés d'un pelage d'hiver protecteur très épais qui conserve leur chaleur corporelle et les isole complètement. Si bien qu'il n'est pas rare d'observer, après les tempêtes, des chevaux portant, sans même la sentir, une épaisse couche de neige sur le dos !

Un cheval agressif ne peut pas le cacher !

Un cheval en colère adopte souvent une attitude très particulière qui comporte plusieurs étapes. Dans un premier temps, il commence par aplatir ses oreilles contre sa nuque puis il secoue la tête et renifle bruyamment. Il lui arrive aussi régulièrement de reculer en tapant ses sabots contre le sol et de fouetter l'air avec sa queue. Enfin, lorsqu'il ne parvient plus à se contenir, il accompagne ces premiers mouvements caractéristiques de petites courses et de ruades toujours très spectaculaires.

Les chevaux

aiment prendre des bains de boue.

Les chevaux pataugent facilement dans la boue pour se débarrasser des parasites et des insectes et apaiser leurs démangeaisons. Leur robe entièrement recouverte de particules de terre nécessite alors un entretien spécifique. Certains cavaliers attendent que la boue soit sèche et brossent leur cheval zone par zone dans le sens du poil. D'autres choisissent de laver entièrement l'animal puis de le sécher en le bouchonnant avec une poignée de paille. Il est alors primordial d'effectuer cette opération le plus rapidement possible pour que le cheval n'attrape pas froid et de le recouvrir ensuite d'une couverture. Certains box sont même équipés de séchoir !

Cet étalon peut participer à des concours hippiques comme à des concours de beauté !

La classe naturelle incomparable de ce cheval, photographié en pleine compétition, lui permettrait de se distinguer dans n'importe quel concours de beauté. Tout est élégant en lui : ses naseaux dilatés, son œil brillant et sa peau d'une exceptionnelle finesse. Sa crinière a été tressée pour renforcer son élégance mais également pour que les crins ne gênent pas la main du cavalier lors des épreuves. Pour réussir un nattage parfait, les crins sont mouillés ; certains cavaliers utilisent aussi du gel pour dompter les mèches les plus rebelles.

Marqués au fer rouge pour la vie !

Lorsque les jeunes chevaux atteignent l'âge de huit mois, les gardians de Camargue leur impriment au fer rouge une marque particulière, pour qu'ils puissent être reconnus. Couchés sur le sol, les poulains reçoivent cette marque indélébile sur les parties saillantes de la cuisse.
Les chevaux de Camargue sont marqués de la lettre C, symbole de leur race, mais certains éleveurs ou propriétaires de manade ajoutent un signe ou un motif distinctif.

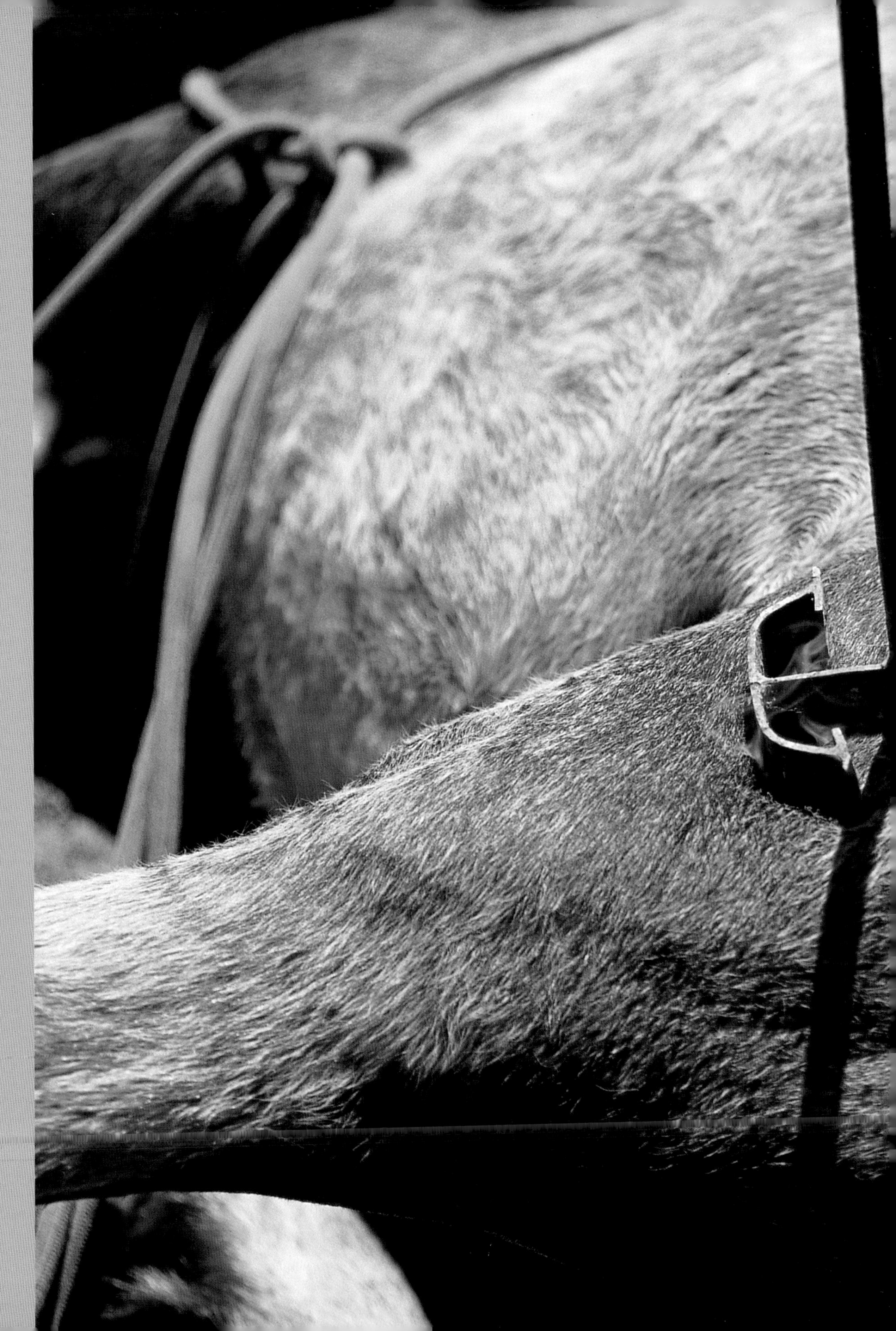

Les trakehners

sont des chevaux élégants et sportifs.

Très raffinés, les trakehners possèdent un corps harmonieux et une tête fine, très expressive, avec un profil de pur-sang et des yeux qui expriment l'intelligence. Ces magnifiques étalons doivent leur nom au haras créé au XVIIIe siècle par le roi Frédéric-Guillaume Ier à Trakehnen, en Prusse-Orientale, une partie de l'actuelle Pologne. Naturellement équilibrés, musclés et souples, ces chevaux sont réputés dans le monde entier comme d'excellents sauteurs. Ces qualités leur ont permis de remporter de nombreuses médailles dans les disciplines équestres, notamment aux Jeux olympiques.

CRÉDITS PHOTOGRAPHIQUES :
©ANNE-SOPHIE FLAMENT : pages 78-79

ARCHIV BOISELLE : ©Gabriele Boiselle : pages 2, 6-7, 8-9, 18-19, 20-21, 24-25, 26-27 et 4 de couverture, 32 (a), 34-35, 40-41, 44-45, 50-51, 56-57, 64-65, 72-73, 76-77, 80-81 ; ©Christiana Slawik : page 33 (c), 60-61, 70-71; ©Jacques Toffi : pages 90-91 ; ©Marielle Andersson : pages 68-69.

BIOS : ©Klein&Hubert : pages 10-11, 14-15, 16-17, 52-53, 88-89; ©Delfino Dominique : pages 32-33 (b); ©Bortolato Guy : pages 66-67; ©Ausloos Henry : pages 92-93.

©BOB LANGRISH : pages 28-29, 36-37, 38-39, 46-47, 74-75, 86-87, 94-95.

FOTOSTOCK/HOAQUI : ©Aguililla&Martin : pages 30-31; ©J.D. Dallet : pages 12-13.

GETTY IMAGES : ©Eastcott Momatiuk : une de couverture, pages 62-63 ; ©Medford Taylor : pages 58-59 ; ©Art Wolfe : pages 84-85.

©GÉRALD BUTHAUD : pages 22-23, 54-55, 82-83.

HOA QUI : ©Sylvain Cordier : pages 4-5.

PHONE : ©Ferrero Jean-Paul : pages 42-43 ; ©Grenet M/Soumillar: pages 48-49.

ONT PARTICIPÉ À LA RÉALISATION DE CET OUVRAGE :
Geneviève de La Bretesche, Laure Maj, Brigitte Legendre, Laurence Pasquini, Alain Pichlak, Jean-Michel Billioud, Marie Coutable, Chantal Rieu, Marie Pèbre, Laurent Bouton, Key Graphic.

33, RUE DU PETIT-MUSC. 75004 PARIS
www.playbac.fr

ISBN : 2-84203-761-8
Loi n° 49956 du 16 juillet 1949
sur les publications destinées à la jeunesse.
Dépôt légal : octobre 2005.
Imprimé en Espagne par SYL.